Une nouvelle m(
la famille Souris

Adapté du japonais par Jean-Henri Potier et Keiko Watanabe
© 1985, l'école des loisirs, Paris, pour l'édition en langue française
© 1983, Kazuo Iwamura
Maquette : Takahisa Kamijo
Titre original : « A new house for fourteen mice » (Doshin-sha, Tokyo)
Loi numéro 49956 du 16 juillet 1949 sur les publications destinées à la jeunesse : mars 1987
Dépôt légal : Juin 1988
Imprimé en France par Aubin imprimeur à Ligugé

Kazuo Iwamura

Une nouvelle maison pour la famille Souris

l'école des loisirs
11, rue de Sèvres, Paris 6e

*Papa et Maman Souris
ont décidé de déménager et
de s'installer dans la forêt
avec leurs dix enfants.
Grand-père et Grand-mère
les accompagnent.*

Papa marche en tête. C'est lui le guide.

Maman veille sur les traînards.

« Tenez-vous par la queue », dit Papa Souris.

«Vous grimperez plus facilement.»

« Chut ! Ne bougez pas. Laissons passer la belette ! »

«Prenez garde au courant. Ne lâchez pas la corde!»

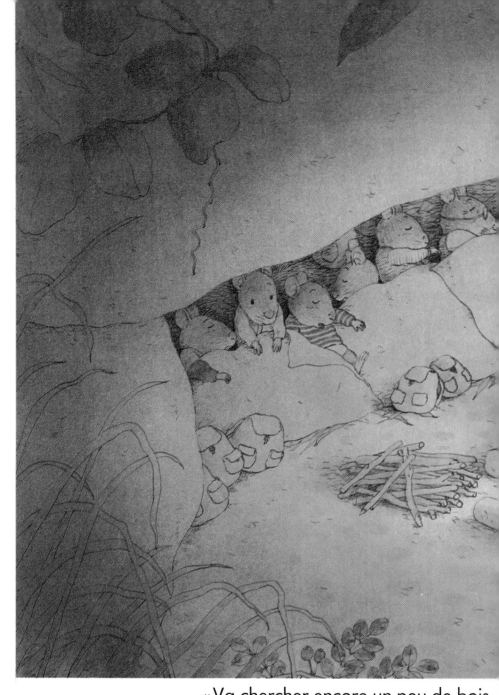

« Va chercher encore un peu de bois.

faut que tous les vêtements soient secs avant demain matin. »

«Magnifique! Voilà l'endroit rêvé

Nous allons nous installer ici. »

« Portez tout le bois coupé devant la maison. »

«Reposons-nous un peu», dit Grand-mère, «je vous apporte

e thé. »

«Venez tous ici poser le premier plancher sous la charpente.

« Vous ferez le second après… »

«Il ne nous manque plus que l'eau courante à domicile.»

« Attention, l'eau arrive ! »

« Attendez pour traverser que le pont soit achevé »

crie la grande sœur, inquiète.

«Vous verrez, cet hiver nous serons contents d'avoir rassemblé

toutes ces provisions », dit Grand-père.

« Tu nous as préparé un bon dîner », dit Papa

«Tout le monde m'a bien aidée », répond Maman.

« Tu crois qu'ils se sont endormis ? » demande Papa.

«Sûrement», dit Maman. «La journée a été bien remplie.»